Pour Violette
d'Agnès et Stu.
Noël 2009
Bisous, Bisous!   x o x o x o x o

Où est le chat ?

Un livre Dorling Kindersley

Pour Annabel

Du même auteur chez Bayard Jeunesse
Où est le chien ?
Je cherche les nombres dans l'art
Je cherche les animaux dans l'art
Je cherche les formes dans l'art
Mon premier livre d'art des couleurs
Bonheurs d'enfance

L'édition originale de ce livre a été publiée sous le titre *Spot a cat*
par Dorling Kindersley Limited, 9 Henrietta Street, Londre WC2E 8PS, Grande-Bretagne
© 1995 Dorling Kindersley Limited, Londres, © 1995 Lucy Micklethwait

ISBN : 978-2-7470-2310-8

© 1996 Bayard Éditions, © 2007 Bayard Éditions Jeunesse pour la présente édition
Dépôt légal : juin 2007 – Imprimé en Italie – Loi 49-956 du 16 juillet 1949
sur les publications destinées à la jeunesse
Traduction française : Paragraphe – 22, rue de Monttessuy, 75007 Paris

Où est le chat ?

Lucy Micklethwait

BAYARD JEUNESSE

Oh! regarde le gros chat!

Auguste Renoir, *Jeune fille au chat* (1876)

Petit chat,
où es-tu ?

Paul Gauguin, *Au café* (1888)

Regarde le chat : il a peur !

Lorenzo Lotto, *L'Annonciation* (1527)

Où se cache le chat ?

Paul Klee, *Le jardin zoologique* (1918)

Voilà un chat heureux !

Utagawa Kuniyoshi, *Pluie et tonnerre la nuit* (début des années 1850)

Ce chat est
très inquiet...

Samuel Van Hoogstraten, *Corridor en perspective* (1662)

Ce chat
est fou !

Karel Appel, *Chat* (1971)

Où est donc
le chat ?

Patrick Heron, *Veille de Noël : 1951*

Regarde
le beau chat
tout blanc.

David Hockney, *M. et Mme Clark et Percy* (1970-1971)

Où est
le chat noir?

Fernand Léger, *Le grand déjeuner* (1921)

Trouve
un chat roux.

Mir Kalan Khan, *Princesse regardant une servante tuer un serpent* (vers 1770)

Où est
le chat gris ?

Jan Bruegel, dit Bruegel de Velours, *L'Adoration des Mages* (1598)

On dirait une danse

avec un chat étrange

et une chauve-souris légère, légère...

Cherche aussi un visage

et un pied avec cinq doigts

et une drôle de grenouille.

Et que trouveras-tu encore

si tu continues à regarder?

Juan Miró, *Intérieur hollandais I* (1928)

LISTE DES ŒUVRES D'ART

Oh! regarde le gros chat!
Auguste Renoir (1841-1919),
artiste français
Jeune fille au chat, 1876,
huile sur toile, 55 x 46 cm
National Gallery of Art,
Washington
Don de M. et Mme Benjamin E. Levy

Petit chat, où es-tu?
Paul Gauguin (1848-1903),
artiste français
Au café, 1888,
huile sur toile, 72 x 92 cm
Musée Pouchkine, Moscou

Regarde le chat: il a peur!
Lorenzo Lotto (vers 1480-1556),
artiste italien
L'Annonciation, 1527,
huile sur toile, 166 x 114 cm
Pinacoteca Civica, Recanati

Où se cache le chat?
Paul Klee (1879-1940),
artiste suisse
Le jardin zoologique, 1918,
aquarelle, 17,1 x 23,1 cm
Kunstmuseum, Berne

Voilà un chat heureux!
Utagawa Kuniyoshi (1797-1861),
artiste japonais
Pluie et tonnerre la nuit
Série Beautés et épisodes d'Otsu-e
début des années 1850,
bois gravé en éventail
21 x 29 cm (format de l'image)
Victoria and Albert Museum, Londres

Ce chat est très inquiet...
Samuel Van Hoogstraten (1627-1678),
artiste hollandais
Corridor en perspective, 1662,
huile sur toile,
260 x 136 cm
Dyrham Park, Avon

Ce chat est fou!
Karel Appel (né en 1921),
artiste hollandais
Chat, 1971,
huile et papier mâché sur toile,
89 x 116 cm
Collection privée

Où est donc le chat?
Patrick Heron (né en 1920),
artiste britannique
Veille de Noël : 1951
Huile sur toile, 182,8 x 304,8 cm
Collection privée

Regarde le beau chat tout blanc.
David Hockney (né en 1937),
artiste britannique
M. et Mme Clark et Percy
1970-1971, acrylique sur toile,
213,4 x 304,8 cm
Tate Gallery, Londres

Où est le chat noir?
Fernand Léger (1881-1955),
artiste français
Le grand déjeuner
1921, huile sur toile, 183,5 x 251,5 cm
Museum of Modern Art, New York
Mrs. Simon Guggenheim Fund

Trouve un chat roux.
Mir Kalan Khan,
artiste indien
Princesse regardant une servante tuer un serpent
vers 1770, gouache sur papier, 21,3 x 16,8 cm
British Library, Londres

Où est le chat gris?
Jan Bruegel, dit Bruegel de Velours
(1568-1625),
artiste flamand
L'Adoration des Mages, 1598,
détrempe sur papier, 32,9 x 47,9 cm
National Gallery, Londres

On dirait une danse...
Juan Miró (1893-1983),
artiste espagnol
Intérieur hollandais I, 1928,
huile sur toile, 91,8 x 73 cm
Museum of Modern Art, New York
Mrs. Simon Guggenheim Fund

Couverture
Auguste Renoir
Jeune fille au chat (détail)

Dos
Samuel Van Hoogstraten
Corridor en perspective (détail)

Page de faux-titre
Paul Klee
Le jardin zoologique (détail)

Page de copyright
Utagawa Kuniyoshi
Pluie et tonnerre la nuit (détail)

Page de titre
David Hockney
M. et Mme Clark et Percy

Page de la liste des œuvres d'art
Lorenzo Lotto, *L'Annonciation* (détail)
Juan Miró, *Intérieur hollandais I* (détail)